花とゆめCOMICS

スキップ・ビート！

第32巻

仲村佳樹

目次

スキップ・ビート！

ACT.189 黒の息吹 …… 5
ACT.190 黒の息吹 …… 35
ACT.191 黒の息吹 …… 65
ACT.192 黒の息吹 …… 95
ACT.193 黒の息吹 …… 125
ACT.194 黒の息吹 …… 155

スキップ・ビート!
ACT.189 黒の息吹

リーンゴーン
リーンゴーン
今日って迎えアリ?
ううん今日はフリー
ザワザワ
ガタガタ
バタン
ちょっとつき合ってほしいトコあるんだけど〜〜〜
いいよ
どんより…
…ああ…
結局 午後からの授業にも大して集中できなかった……
何かにつけて敦賀さんの事を考えてしまって…
トン
トン
このように駿河湾一帯には──
敦賀…!?
ドキリッ
地理の授業
さつまイモの食いすぎでー
さつ…殺…!?
ギクリッ
教師のヨタ話

私が一人でモンモンしててもしょうがないのはわかってるんだけどな……
…それに
何て言っても全部 私の勝手な憶測でしかないんだし……
ぬ゛っ
ゴソ
ゴソ
ぬ゛ーーーっ
ぬ゛ーーっ
ん？
ぱかっ
ぬ゛ーーっ
着信
Calling
LME事務所
(椹さん)
どうしたんだろ…
あ
椹さんだ
はい
もしもし
最上です

パシャ
パシャ
ピタ
ピタ
ピタ
ピタ
…うーーーん…
ピタ
ピタ
ピタ
ピタ
尚ったら…授業受ける気は無くて校門まで行って人に会うだけとか言ってたけど……
でも…いちいち母親みたいな事言って
ウザいと思われるのも嫌だしなぁ
ピタ
ピタ
校門まで行くならやっぱりちゃんと授業受けさせるべきだったのかしら……
マネージャーとしては
はっ
…イヤだ…また こんな
〜〜〜…っっ
ガックリ…
可愛い可愛いでヒモを囲ってる年増のダメ女みたいな事考えてる
ダメ ダメ ダメ
職を無くしたくなきゃ いっそ保護者くらいの気持ちでサポートしなきゃ……っ

こういう事を考えるのもまた マネージャーとしては如何なものかと思うけど
尚がキョーコちゃんとさっさとくっついてくれれば脳のスイッチを
清々しい程保護者モードに切り替えられるのに――!!
祥子さんは他人の男には全く興味が持てないお方
俺は腹立ててんじゃなくて呆れてんだ!!
つき合ってもない男にアレコレ改造されてヘラヘラ笑ってるこのアホ女にな!!
…
…あんな顔して怒ってて
おまけに
ああ…っクソォ……!!
ダメだ!!やっぱ留守録なんぞに怒り上げた位じゃ気が済まん!!
この憤り直接アイツにぶつけてやりて――!!
心中で罵ってるつもりの収まり切らない心の声
ぶりっぶりっ
…尚 心の声ダダ漏れ…
ぷにゃぷにゃ
あんな事を我知らずうっかり口に出して言うくらいなんだから

キョーコちゃんの下宿先で待ち伏せしてでも会いに行けばいいのに…
ぬり
ぬり
いえ…それはさすがにプライドが許さないわね…
あの子
キョーコちゃん次もイジメ役でドラマ出演決まってるって 何かの番組で言われてたし
いつ学校に出て来てるかもわからないのに
それこそ待ち伏せなんてバクチ打ち
じゃあ学校……
いえ…それも無理かしら…
確か美森ちゃんが同じクラスだったはずだけど
たとえ学校でキョーコちゃんに会ったって あの美森ちゃんが尚に教える訳ないし…
もし学校でキョーコに会ったら俺にソッコー連絡して来い
すっげーエロいチューしてやる
それができたらご褒美に
い…

言いそう―――!!!
ものすごく!!!
あの子ったらっ
相変わらず何てヒドイ事を……!!
つくし系の女の子に対しては!!
メールすきゅーっっ
美森ちゃんもどうしてすぐ言う事聞いちゃうの!!
すきゅーっっじゃありませんっ
なにやらもう決定事項
そんなだからワンコ扱いされるのよ!!
……
この時間ならもう学校は終わってるわよね……
あの子…

もしかして
今頃キョーコちゃんと会って一悶着起こしてるんじゃ――!!
ザワ
ザワ
ザワ
ザワ
条件反射
なんでこんなトコに?
え?
本当に?
本物?

──な
キャアアッ
何で何で⁉ こんなトコに居る理由がわからないっ
本当にマジ不破っちじゃない⁉
キャア
キャア
なんでアイツがここに…⁉
しかも堂々と顔をさらして‼
芸能人なら怪しい位にかくしなさいよ‼

もしかして
ココの芸能クラスに友達いるのかもっ
ギクッ
え？
裏門から帰ろうーー!!
不破尚と交流持てそうな芸能人なんてウチに居るの？
イヤだ…!!
ザカ
カカカカカカ
仕事とは関係無い所でちょっとでもアイツと関わりがあるなんて誤解されたくない!!
まして幼なじみなんて闇関係を知られるなどミっ
ヅリ…
う…っ
……
あ…っ
ザカザカザカザカ

しまったっ
そういえば裏門はたまにしか開かないんだっ
ええいっ
登っちゃえ!!
ガシャンッ
よっ
誰も見ないで
ねっ
ヒラリ
タンッ
ジャンッ
カ

!!??
なミク
七倉美森(なのくらみもり)——!?
!!!???
カッシャン

何で…!!?
何なのコレ!!!
ちょっと…っ
あなた一体どういうつもり
尚ちゃん捕まえたあ――っ
スック
おー――
想定通りだな
…っ
――つまり
ご苦労さん
のそ のそ
私が今日 学校に来ているという情報が流された訳である
尚ちゃんっ
この子から
ご褒美は!?

自滅街道まっしぐらな
脳が溶けちゃう程エッチなチューしてくれるってゆった!!
こんなくだらない条件で
なんてバカな事を…!!
ただでさえゆるゆるの脳なのに!!
それ以上溶かしたら鼻から全部流れて無くなってしまう…!!
他人事と思えないので言う事が辛辣
今度事務所の誰も居ない会議室でな
こんなとこで激チューかましてて一般人にもし見られたら
お前がビッチ扱いされて困んだぞ
ヤツラには芸能界の一般人には暗黙の了解ルールなんて通じねーんだ
お前のファン99.9%男だろうが
嫌!!
今して!!
今度なんて言ってるといつになるかわかんないじゃん!!
…アホか

ネットに流れりゃ30秒で日本中に情報回る世の中
ヒヤリ
…っ
ナメてるとファンに消されんぞ
ゾクリ
…っ

〜〜〜〜〜…っ
んむーーー
…ピルルルル
ピルルルルル
ガチャッ
ガチャッ
ゴソ
ゴソ

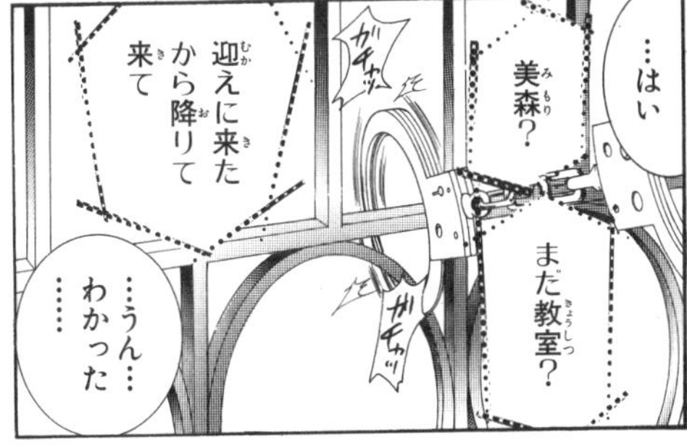
…はい
美森？
まだ教室？
ガチャッ
迎えに来たから降りて来て
…うん…わかった……
ガチャッ

じ
…本当に次ちゃんとしてくれる？
あぁ
ポン
ポン

絶対ね？
あぁ

今日は悪かったな
色々やらせて

なで
なで
サンキュウ
…約束ね…？
…か…
可哀相おおおおおおお
崩り
ぶるぶる
……
ピー
ピー
ピー
ピー
ピー
ボトボト
あんな…
あんな男に良い様に利用されて…っ
やっぱり…っ
やっぱりこの世に神なんか居やしないんだわ
…つつ

スウ…
カチャン
ジャラン…
一緒に来い
…
嫌よ
…話がある

なんで私がアンタなんかと
用があるなら今済ませなさいよ
俺との関係 一般人に興味持たれたら過去とか調べられるかもしれねーぞ
あーもうあの車ジャマー
チラ チラ
不破っちは？
ウロ ウロ
あの車のむこうにいる
サワ サワ
誰か女の子と一緒に居たっぽいんだけど
えっ誰？
わかんない
へー
良いのかよ
ジリジリこっちに近づいて来る…!!
あっでも七倉美森も一緒だったのはわかった
顔見えなかったし
え〜？誰よもう一人〜〜
見に行っちゃう？
え？何で七倉美森
ジャラ
おら
さっさと乗れ

むすう
ゴオオオオオオオオ
…何よ
話って
さっさと終わらせて
降ろしてくれない!?
じろ
……

ふう〜〜う…
な…っ
何よ!! その虫ケラでも見る目つき!!
ムカつく!!
やめてくれない!! その『救い様のないダメ女め』的なため息つくの!!
アンタにだけはダメ息つかれたくない!!
『的な』じゃねーよ
この
『救い様の無いダメ女め』
心から思ってんだ

殺すっっっっっっっっっっっっっ
——!!!!
お前
俺を『ギャフン』と言わせせんじゃねーのかよ
俺よりビッグネームになって
俺にすみませんでしたって跪かせんのが目的だったんじゃねーのか
…一体

何のために芸能業界に入ったんだ
お前

嬉しそうに
男と
チャラチャラ
しやがって。
ちっ
そんな暇ありゃ
延々何千枚と
パジャマの色でも
唱えてろっフラの
早口言葉
は!?
!?
──全く
本来の目的も
忘れて
誰が男と
チャラチャラ
してるのよ!!
アンタッ まだ
性懲りも無く
人を恋愛ホリック
みたいに
チャラチャラして
ねーとは言わせ
ねーぞ
キジマとかいう
男優に
頭の先から
足の先まで
好きにイジらせて
遊ばせた女が
ぎくりっ

…イ…
イィィイヤラシイ言い方しないでちょうだい!!
イィうせたとか遊ばせたとかっ
あっあれは
ゴオオオオオ
あんな大きなパーティーに着て行ける衣装を持ってなくて
困ってる私を貴島さんは助けてくれたただ
超豪道ッ
そんなのこの世の常識中の常識だ!!
男が女に服くれてやんのはその服引き剥いてセックスしてぇって意思表示だぞ!!
アホがっ
な!!!
それをヘラヘラしながらホイホイ言う事聞きやがってっ
この救い様の無いダミーホ女め!!
ダメとアホをくっつけられた——!!
DAMEAHO
むか
あ…っ

あれは もらったんじゃ ない!!
ホテルの貸衣装を 貴島さんが借りて くれ
野郎が金出してん なら同じ事だ――!!
ビクッ
ひっ
ギッ
デジャビュ……!!
…す…っ
!!!
ぐふむっ
今 うっかり 『すみません』とか 言うトコだった……!!
冗談じゃ ないっ ショータローー 相手に!!

…
…男に現を抜かしながら 俺より大物になろうなんて
随分 余裕ぶっこいてくれるよな…
何で得た自信がそうさせんのか知らねーが
そんな小っせー自信
俺がそのうち
木っ端微塵にして散らしてやるよ

…どういう
意味…？

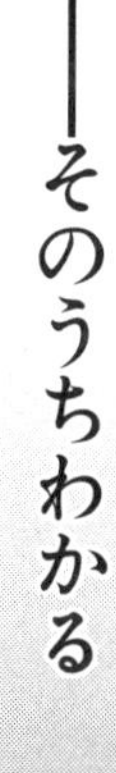
――そのうちわかる

え？。
話ってソレ？
今締め
括った？
どう聞いても
締め括ったよね？。
…
終わったんなら
早く降ろして
くれない？
私忙しいのよ
……っっっ
お前…っ
もうちょい俺の
言葉に興味
持てや
ああっ
もうこんな
時間っ
おいっ

うるさいわねっ
私これから仕事なの!!
収録時間考えたら局入る前に夕飯だって済ませておきたいの!!
暇でフラフラしてるアンタとは違うのよ!!
な…っ
誰が暇だコラ!!
俺だってこの後生の歌番控えてんだぞ!!
だったら今すぐそっちへ向かえばいいじゃない!!
私を降ろしてっ
言われなくてももう向かってるっつーの!!
だったら私を降ろしなさいよ!!
アンタ本当に自己中ね!!
あっ運転手さんっ
…運転手さん…
なんですって!?
『ほくほく食堂』って安くておいしい大衆食堂があるので
その先に確か
そこで止めて下さいっ
PASCO

ゴオオオオオオオオ
左の景色
右の景色
そこのカーブを曲がったら200M程先の左手に…
ゴオオオオオオオオオオオ
……
…？何だよ
…

……
…生の歌番って…
アンタ…
…もしかして……

ミュージックHに決まってんだろ

ACT.189 黒の息吹／おわり

アイツが

動き出しそうな
気配を感じて

身体中が腹の底から
冷えていく様な

あの感覚の時に
出て来るアイツ
とは違ってた

様子が

いつもとは
違っていた
から

自由を手に入れた
ソイツには
恐ろしい
可能性がある
今度は
暴走を食い止めて
くれるはずの存在の

あの娘に向かって
牙を剥く——
スキップ・ビート！
ACT.190 黒の息吹

――はい
先程撮影終えましたので
こちらは大丈夫です
はい
え？
それはもう共演者にも恵まれている証拠ですので
コツ
コツ
はい
承知致しました

それではそちらへ伺わせて頂きます
そうですね今からですと40分もあれば…
コツ コツ
はい
ご連絡ありがとうございました
ピ
何かありました？
ああ

渕藤ディレクターから直電あった
明日のCM撮りの事ですか？
うん
蓮のスケジュールがどうしても一日だってずらせないだろ？
明日の打ち合わせこっちの都合が大丈夫なら今日のうちにできないかって
だからあっちも明日一日でキメるために時間節約したいらしくてさ
別の仕事で今近くに居るから
それはこちらとしても助かりますね
ああ
成程

何ですか？
あ…いや
もしかしたら打ち合わせに行った先で
……
…？
…行った先で？
…夕飯誘われるかも
時間的に食べながら打ち合わせって事になるかもしれない
確かに あるかもしれませんね
いいですよ
受けて立とうじゃないですか

仕事のためなら胃袋がはち切れても根性で食べ続けますよ
覚悟の顔
…こいつ仕事に食が絡むといつも死を覚悟した様な顔するな…
渕藤ディレクターだって象じゃないんだからそんなに食べないよ
とにかく行こうか
はい
…まぁ
なんとかうまく話そらせられたからいいけどさ
せっかく蓮の静かなる怒りのマグマも落ちついてるのに
何もわざわざ自ら危ない橋を渡る事はない…
それも『もしも』の話で
まだ今名前出したら貴島との一件思い出してムッとしちゃうかもしれないし
おーい敦賀君お疲れー
もう少しふれないでおこう……

この後空いてたらちょこっと飲みに行かない？
ぎゃっ
諸悪の根源…!!
ひょいひょい
あぁ…ごめん
これから明日の仕事の打ち合わせなんだ
え〜〜〜？
そうなの？
ざ〜んねん〜ん
なんだ
じゃあさぁ
京子ちゃんの誕生日知ってたら教えてくれない？
明らかにソレ狙い。
逸美ちゃんや大原さんには本人に訊いた方が良くない―？ってやんわりかわされてさー
打ち上げの2次会時
コイツ…!!
今年のタレント名鑑見てみたけどなんでかまだ登録自体されてないし
ローリィ的にキョーコさんはまだ補欠タレントだから
直接本人に訊くってあからさまだろ？
それにやっぱ
サプライズじゃなきゃ効果半減するってもんじゃないか
寝てる子を叩き起こすな――!!
もうお前声の届く範囲立入禁止――!!
あの子の誕生日…？

――確か
12月
25日だったと思うけど……？
――――!!!
ええ!!ウソォオオオ!!!
……っ
そんな年に第2位の女の子陥落絶好日!!?
↑第1位は12月24日
カッカッカッ 登録登録っ
コレは使わないとバカだろうっ
いや それにしても意外っ
…

女の子の情報に関しちゃいつだって役立たずな敦賀君から情報を得ようとはっ
最終手段としては事務所の人に聞いてもらおうかと思ってたのに
案外ね
わりと親しくしてるから
まあ
親しいのは知ってるけどでも先輩・後輩枠でだろ？
敦賀君
デコメもらわないんだし
ビュウオオオ
ゴゴゴ
ガタブル

悪気は無い
凍死寸前
…………………
……
…貴島君
ん？
実は俺
君に嘘をついてた事がある
え？
何？
本当言うとね
俺

あの娘にはデコメどころかメールそのものをもらった事が一度も無い
そもそもメールアドレスの交換すらしてもいないし
え⁉
何でまたそんなウソ？
うーん…
まぁ…純粋に

…見栄？

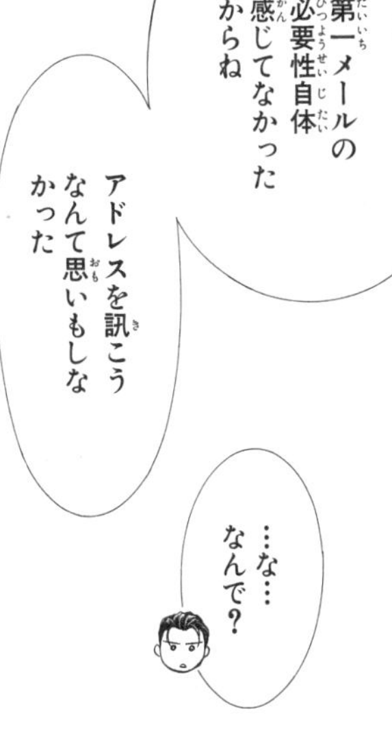
第一メールの必要性自体感じてなかったからね
アドレスを訊こうなんて思いもしなかった
…な…なんで？

現代人にとったらメールは必須だろ?
だってむなしいじゃないか
は?
折角携帯電話ってアイテム使ってるのに
文字で用事を済ませるなんて
どうせなら
声が
聞きたいだろう……………?

え

京子ちゃんの事……?

『何だ お前もうキョーコちゃんへの気持ち隠すのはやめたのか?』

とか イジられるんだろうと思って

それはそれは楽しそうにこんな目をして

え…いや…

まぁ…

うん……

蓮がもうちょっと冗談交じりに言ってくれてたら
水を得た魚の様に喜んで突っついたんだけど……
そりゃもうドクターフィッシュかっていうくらい
けど…
なんか…若干『嘉月』入った表情してたし……
そんな人…イジって遊ぶ気になれないし…
嘉月と闇の国の蓮さんはどう考えても同じお国の方だもの
誰も傷付かないでしょう?
……そういう事にしておけば
ああ見えて貴島君はもめ事が苦手な人だから

俺と争ってまであの娘をどうこうしようと思わないだろうし
逆に言うと
その程度の気持ちなら
あの娘に手は出さないでもらいたい
あの娘には
まだ早い

まだ

癒えていない
はずだと思うから

過去に負った
深い傷が——…

——…あぁ…
ゴオオオオオ

そうだな———…
チャラチャラした
半端な男には
ちょっとまかせ
られないよ
な———…

——お前

男を見る目は
鳥目だし
危なっかしくて
見ていられない
これからも 男の
査定してあげろよ
キョーコちゃん
無防備にも
程があるし
男を探るスキルは
赤子だし

――そのつもりです――

即答——
…やっぱり…
コレ…
いつもと絶対違うよな
ついに本気になったのか………?
いや
それなら
『合理的かと思って』なんて自分から言い訳しないだろう
まだ何もツッコンでないのに
…どちらかと言うと
…
…やっぱり…
B・Jを演る上で何かあって
精神的に
不安定になってる——
そうだ
それなら納得ができる
蓮が今日一日無駄にヘラヘラしていた理由…

常に固定しておかないと
保てなくなるからだ
『敦賀蓮』を──
え…？
淵藤ディレクターと明確に時間を決めて待ち合わせしてるんでしたっけ？
…時間
ああ…いや
特に時間は決めてない
先の現場からなら20分位で着けそうだとは思ったんだけど
少し余裕見て40分ほどで着く予定とだけ言ってある
──ですか？
はっ
さすがですね
カチン
カッチ
カッチ
18:25
淵藤ディレクターに会う頃には

ジャストです
TBM

思い出
思い出

はぁ〜〜〜…
至福
うっとり
ほくほく
すっごく美味しかったわ…
ほくほく定食…っ
ほくほく定食 480円也
ここ何日 とんと和食を食べていなかったからなお一層…っ
ヒール兄妹生活で
ガサ
ガサ
ゴーッ
ゴーッ
ぴくっ
ちょっとっ 静かにしてくれない!?
折角幸せな思い出に浸ってるのに!!
あぁあん
ぐい

そ…っ それは………!!
生産量が少数故なかなか手に入らないほくほく食堂の高菜むすび…っ
もぐもぐ じょりじょり
ほ――
絶妙な塩加減と食感だな
思いの外うめェ
な…っなんでアンタがそれを…!!
あっ。
なんでって買ったからに決まってんだろうが
スー
この2つしかなかったからな
な…っ
コイツのせいで売り切れだったのね――!!!
明日の朝食に買おうかと思ってた
にっ憎い……!!
他にツナやこんぶだってあったのに!!
何故よりによって稀少な高菜を…っ
もじょもじょ
に
んやあ~~…
…欲しい
か~~~~~~?

コイツ……!!!
わざとだ――!!
今日のおむすびメニューラインなら私が高菜を選ぶと見越して…!!
ニヤニヤ
い…っ
いらないわよ!!!
ぶんっ
だ

!!!!!
ACT.190 黒の息吹／おわり

スキップ・ビート!
ACT.191 黒の息吹

ふ・・・・・・

ダダッ
ガッ
不
破――!!?
えええ!!!?
何で!!??
何で不破がキョーコちゃんと一緒に…!!!
なんで局に一緒に来るんだ!!??

もしかして拉致されたとか…!?
いや…っそんなのキョーコちゃんがおとなしくしてる訳ないだろ!!
実はキョーコちゃんもTBMで仕事で来る途中バッタリ奴に会って乗せて来てもらった!!
ますます有り得ないーーー!!!
うわあああああ
どんな理由も奴との2ショットに納得いかないーー!!
渕藤ディレクターとの待ち合わせがTBMになった時
何の根拠も無くキョーコちゃんに会えるかも…とか確かに思ったけど…!!
前にも会った事あるから
何ですか?
あ…
いや
もしかしたら打ち合わせに行った先で
よりによって不破連れなんて最悪だーーー!!!
一体いつから!? 何をしてたの!!
アイツと二人で!! キョーコちゃん!!
…っ
ちら

蓮…？
…れ…
ミスミ
…！
ドキッ

コツン…
コツン
え…!?
…行きましょう

コツン…
コツン
コツン

渕藤ディレクターを予定以上に待たせてしまいます
…あ…
…ああ……

そ…
ろぉり…

カニッ

……
し…ん…

やあ
最上さん
久しぶり。
キュラッ
キュラッ
キュラッ
キュラッ
ずいぶん面白い
組み合わせ
だね。
何があったらこんな
事になるのかな？
もちろん
それなりの
理由がちゃんと
あるんだ
ろうね。
キュラッ
キュラッ
ほくほく食堂で
幸せをゆっくり
満喫し過ぎた
なんて…
あげく交通機関を
使おうとすると
仕事に遅れそう
だったから
じゃ。
腹もふくれ
たし先行くわ
お望み通り
ここで捨ててって
やる。後は
自力でガンバレ。
チョット
待ちなさい
ヨーー!!
アンターー!!
責任持って局まで
連れて行きなさい
ーー!!
同じトコ行くんだから
ーー!!
アンタが来なきゃ
私はこんなに
遅れなかった
のよ!!
…それなりの
理由…
言えや
しない…
…って
自分から
再び
アイツの車に
乗り込んだ
なんて…!!
いえ車は
この人のだけど

今思えば局まで乗せてくれそうな親切な人をヒッチハイクで捕まえる事も…
ぶつぶつ
いえいえ それなら素直にバスにでも乗った方が早かったような……
ぶつぶつ
…何だお前は
何にそこまでビビってんだ
はっ
もしかしてアレか
さっきの野郎か
…アレ…
たぶん(野郎)←こうね…
…バカじゃねーの？
俺とお前が一緒に居たからって野郎の機嫌が悪くなるとでも思ってんのかよ
だって悪くなるんだもん!!
基本的に敦賀さんアンタが嫌いなのよ!!
名前出すだけで空気が悪くなるくらい!!
お前いつからそんな自惚れた女になった訳？
バタン
同じ事務所でちょっと優しくされたからって何か勘違いしてねーか
お前ごときの女に優しい男が他の女にも優しくしてない訳がねーだろうが

自分だけ特別扱いされてるなんて思ってんじゃねーぞ
――…思ってないわよ…
そんな事…
アンタになんか言われなくても
わかってるわ

敦賀さんは
何かあるとLMEの社長さんに私の事をよく頼まれるから
私には構ってくれてるだけ
仕事で関係してる誰と比べたって特別親しい訳でも何でもないわ
…お前…
それ本当にそう思って言ってんのか？
そんなショボくれた声で言われても信用できねーんだよ
!?
だ…っ
誰がショボくれた声で言っ
…っ

ドンッ

——信用できねーんだよ
お前は
夢見がちな女だからな
さっきのセリフ本気で言ってんなら
顔上げて
俺の目ェ見てもう一回言ってみろ
仮にも役者のはしくれなら

滑舌良く
はっきりと
…
…な…
…何ムキになってんのよ
バカバカしい…
もう行くわよ
遅れるから
カッ
ガッ
グッ

ドッ
た…っ
何す
言えよ
ギッ
…っ
敦賀蓮
なんて

何とも
思ってねーーって
カッ
コッ
何をしてるの
尚ったら…っ
…！
キョロ
キョロ
カツンッ
も〜〜〜
7時には
来るように
言っといた
のに…っ
まさか…

キョーコちゃんと何かモメて───…
さあ赤と青どっちのフライパンがお好み？好きな方でそのご自慢の顔をたたいてあげる
やめろーっ
そんな安もんでやるならダイヤ粒子入りの黒にしろーー!!
いやああぁっ
やめてキョーコちゃん 顔はっ顔だけは──!!
尚も…っ
キョーコちゃんと何かモメたとしたら…アレは確実よね…
さすがにそれはないとしても
そんな所で無駄に男気を発揮しなくていいのよ!!
ダイヤ粒子入りの黒じゃありませんって いえいえ
アレは───…
……っ
尚がキョーコちゃんに会いに行ってるんじゃないかって予感が拭い切れなくて
心配で少し前に電話した時は
キョーコちゃんとご飯屋さんに入ったトコだとか言ってたから
意外と仲良くしちゃってるんだと思ってたのに……
…っ
やっぱり無理だったのよ──!!
尚を相手にキョーコちゃんが和やかに食事するなんて───!!

祥子さん
そんなトコで何一人でヘコんでんの
それとも脳痛か？
ひどいのか？薬は？
んん!?
これは…どっち…!?

…だ…
大丈夫…
熱は
無いな
ペタ
…機嫌は…
悪くないけど
特に良くも
ない様な…
じゃ先にコレだけ
控室入れて来る
う…
うん…
リハは?
30分から
ふーん…
……
──…そんなに
心配する様な
展開は無かったのかな…?
もしかして
顔もアレ的じゃ
なかったし…

キョーコちゃんとのデート
――……す……
すみませんでした……
ちっ
ガキが…ちょっと売れて来たからってのぼせやがって
もっと真面目で面白い奴が居りゃ二度と使わねーのに…っ
ドスドス
おーい
スタッフ移動ーっ
さっさと終わらせてさっさと帰るぞーっ
あ
ウォース
――結局…
ブル
ブル
遅刻して怒られちゃったじゃない……っ
アイツが

くだらない事で引き止めるから!!
『言えよ』
『敦賀蓮なんて
なんとも思ってねーって』
何言われたか知らないけど
気にしなさんな?
ぽん
あの人 この仕事でゴルフ飲み会行けなくなったから 機嫌悪いんだよ
さぁて
行こうか京子ちゃん
ほら
顔上げて
なで
なで
ポン…

なで
なで
ポン
ポン
ポン
ポン
…
…京子ちゃん？
もしかして
泣いてる…っ？

ギリ
ズアッ
敦賀さんの事なんて何とも思ってませんけど!!
何か!?
滑舌良く はっきりと
目を合わせて

アンタが言わせてる『何とも思ってない』って言葉の意味に
愛だの恋だのの事が少しでも含まれてんなら
今ここで
あんたのこの髪の束を引きむしって
ギギギギ
コレでアンタの呪い人形作るわよ…っ
…
アンタが私に教えたクセにっ
愛や恋は人間をどこまでも愚かにするって!!
もう二度と愚かな人間に戻りたくないし
私は…っ
戻る気も無いのよ!!

もしも何かの
間違いでもう一度
私が愚者に戻る
事があったとしても
相手に
敦賀さんだけは
有り得ないわ!!
何で
そんな事が
言い切れる

『何で』?

そんなの
決まってるじゃない
『よくできました』って
ほめられて
嬉しくて
たまらなかつた

敦賀さんに
嫌われていたという過去ですら
誇らしくて
宝物の様に
愛しいと思った
──
少しでも
こんな私が
自分の気持ちに負けてしまったら
ショータロー
私は
アンタの時より愚者になる自信があるからよ
…京子ちゃん…？

──どんなに
胸が痛んでも──

ACT.191 黒の息吹／おわり

神の悪戯
悪魔の采配
どちらにしても
確かな予感
これは
始まりだ

物語が

結末を迎えるための

悲愴な
終末への始まり——
スキップ・ビート!
ACT.192 黒の息吹

ぱか…
そろぉ～～り…
15:21
フフフは～～～～～い
ぱくむ
ドッと
ガックリ
ドッとガックリ

…相変わらず…
リアクション全く無し…
留守電はおろか着信すら入っていない……
…やっぱり…怒ってるのかなぁ――…
昨日のアレ…
う〜〜〜〜……
なんでアイツと一緒に居たのか変な誤解されたくなくて
パチ…
昨日 仕事終わった後釈明のコメントを留守録に残しておいたのに……
パク
パチ…
…敦賀さんが……
…聞いてくれてない訳ないんだよな〜〜〜…

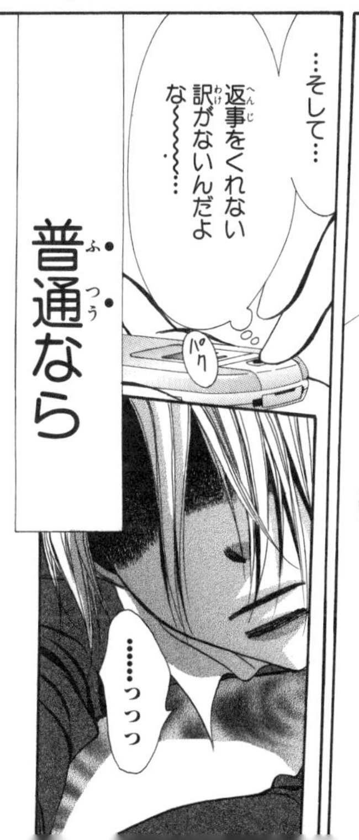
…そして…
返事をくれない訳がないんだよな〜〜〜……
パク
普通なら
……っっっ

あぁあああああ〜〜〜〜〜っっっ
うあああああ
あぁあぁっ
ジタバタ
知ってる——!!
このパターンツ
覚えがある——!!!
ジタバタ
アイツのPVの仕事に出たのがバレた時もこうだった——!!
留守録に入れておいた私のメッセージには全く応答無くて
次会った時には
似非紳士スマイルもキラキラフラッシュもない
…良かったじゃないか——……
楽しかったみたいで——…
真剣怒り
された——!!
おぉぉ…
こ……つつ

怖いいいい――――!!!

明日からまたヒール兄妹生活再開なのに…っていうかもう今夜から――!!

いっそ地球の自転を止めちゃって――!!

誰か時間止めて――!!

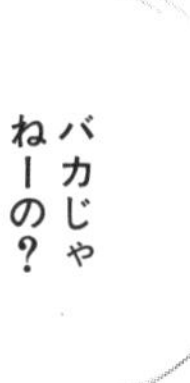

――もしかしたら

あの場にイヤミの一つでも言いに来てくれるかと思った

やあ最上さん

久しぶり。

ずいぶん面白い組み合わせだね。

それも怖いけど勇気いるけど

まだその方が良かった

その程度の怒りなんだって わかるから……

でも

敦賀さん
結局来なかった———…
は———っっ
ドヤ
ドヤ
キッツ———!!
やっと休憩入れる!!
昨日の分
超巻いてる
からね———
京子ちゃんお待たせっ
入って———
あれ？
京子ちゃんは？
単純に
別の入口を使った
だけなのかもしれ
ないけど
けど…っ
敦賀さんが居た
場所からも
一番近いの
あの入口
だったような
…アレって
………
やっぱり
……
あ
居た
何してるの？
こんな
所で…
———…
…このまま

春まで冬眠しちゃえないかと…
そしたら映画の撮影も終わってる
え 何？そんなに寝不足なの？
あ…はい寝不足は寝不足ですね…
避けられた
やっぱり…
のかな――…

ザワ
ザワ
ガチャ
ガチャ
お疲れ様でした——っ
お疲れ様ですっ
次は このホテルの2階にあるカフェを使わせてもらう事になっているので
30分後くらいにそちらへ来て下さい
では
ありがとうございます
敦賀君は休憩も兼ねてるのでそれまでゆっくりして下さいね
お疲れ様です
あ

社君
社君
はい？
今日は敦賀君 僕の知ってる敦賀君に戻ってて良かったよ
昨日の打ち合わせの時は人が殺せそうなくらい鋭い目つきしてたからビックリしたけど
敦賀君でも機嫌悪くする事あるんだねェ
…は…
すみません本当に昨日は
失礼な対応を
いやいや
ただ目つきに腰引けちゃったってだけで
別に態度が悪かった訳じゃないって
でも ウチの渕藤はそれが逆に気に入ったみたいなんだけどね
あっ
普段のホワンとしてる敦賀君より数倍刺激的で良かったって
なんか普段の彼は人あたりがいい分全く腹の内を見せてない気がして
つかみ所が無かったんだけど
昨日のでちょっと見えたってコーフンしてたよ

敦賀君って
本当はすごく性格キツくて
ヒソ
ヒソ
ヒソ
昔ヤンチャしてたんじゃないかって。
もうやる事やりつくしたから今あんな穏やかなんだ説？
……
…それは前から俺も思ってたけど……
手のつけられない荒くれ者…
……あはは
今度ヤクザ役とかチャレンジさせてみたらっ
そうですねェ相談してみます
ふふ…
敦賀君『DARK MOON』で『嘉月』絶賛されたでしょ
新天地って
もっとハードな役演れるはずだってさ
浅藤Dがっ
どう？
うーん…ヤクザどころか
今殺人鬼演ってるんだけどなぁ……
言えない所が辛い…
うんうん
いつか演ってくれるの期待してるよっ
じゃまた30分後下のカフェでっ
はいっ

……て
…そんな目で睨まないでくれないかなあ
敦賀君
君の目力本当に皮膚に刺さって痛いのよぉ
……
…少しは否定してくれても良いんじゃないですか？
やる事やりつくしたから今穏やか説…
うーん
その方が敦賀蓮のミステリアス度が増すかなぁ…って
D・M以降のファンの動きを見ていたら
ファン層の幅が広がるのは確実な気がするし
…それに

昔
ヤンチャだったのは本当だろ？
…社さん…
以前からそれ言いますよね…
根拠は何なんですか？
特に無い
くしゃ
くしゃ
ヒドイですね…
特に無いけど
初めて会った時
どんな人生歩んだらこんな風になるんだろうって
一目で思ったのは確かだな
パク…

──華やかな容姿をしてるクセに
微笑んでても
瞳は暗く翳ってて
まるで
何かに絶望してる様に見えた
それなのに
その瞳の奥には

形容し難い強い光が揺らめいて
正直
ちょっと怖かった――……
…ただ生温かい湯につかってぬくぬく生きて来た17歳じゃ
余程年齢にそぐわない色んな経験と色んな思いを積み重ねて来たんだろうなって
あんな空気は身に纏えないよ
大人びた見た目や老成してしまってる言動が余計にそう思わせた
…買い被りです…

残念ながら俺の見た目が老けてるのは血筋だし
言動が老成してるのも ただ子供らしくなかったからですよ
家庭の事情で わりと大人社会で育ってたので
俺達も下へ行きましょう
休憩するならインスタントじゃないコーヒーが飲みたいです
…いいけど…

お前
あの時みたいな瞳
してるよ?

…え…？
昨日からずっと
初めて会った
あの時みたいな瞳をしてる

今日は『敦賀蓮』を取り繕わなくて良い
俺と二人で居る時だけって限定だけど
…っ
…お前
昨夜淵藤ディレクターとの打ち合わせの後
駐車場でアイツと何があった？

…言いたくありません……

ス…
…大丈夫なのか？
そんな有様で
アッチの役に戻っても
——何とかします…

俺は
役者ですから
OKー
それじゃ これで行こー
スタンバーイ
おーーーっす
大丈夫なのか?

『敦賀蓮』でなくてはならない今ですら

それがまともに演れてないのに

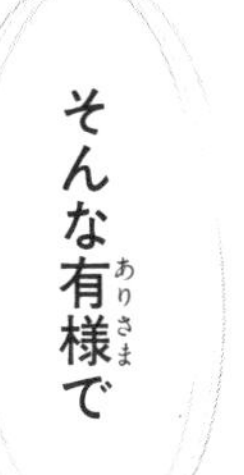

あの頃はまだ
『敦賀蓮』への
切り換えが
すぐにはできない
事があった

たまたま
あの日は
そうだった

──今の俺は
あの頃と
同じ
『クオン』がむき出しに
なってしまってる──
……いや──
むき出しに
なったアイツなら
もっと凶暴だ
抑え込めている
まだ

俺はアイツを
制御できる
間違っても
アンタに惚れる様なバカな真似だけはしないってさ
アンタだけは
無いらしいぜ

まだ
大丈夫

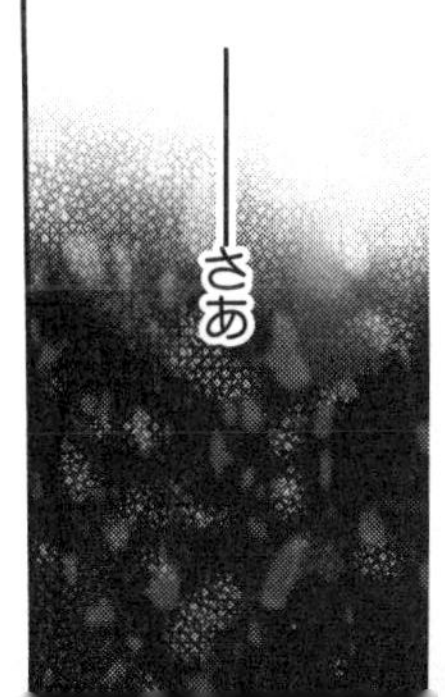
――さあ
カイン・ヒールだ
感情を動かされるのは
芝居と妹だけ

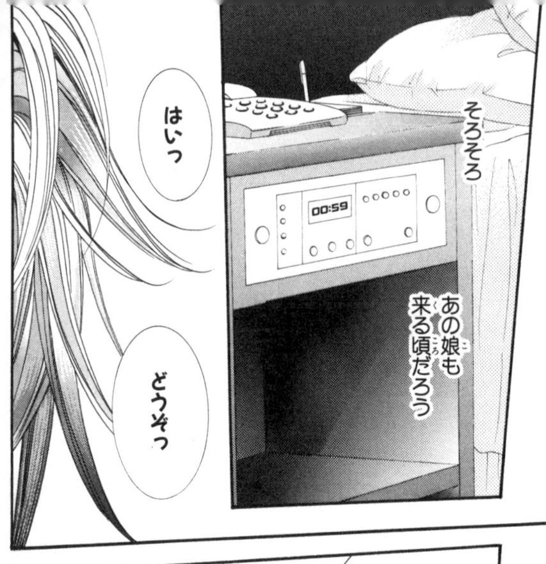
ここから必要なのは
その男のみ
そろそろ
あの娘も来る頃だろう
はいっ
どうぞっ

雪ちゃんのウィッグクリーニングしておいたからっ
…すみません…こんなお時間までお付き合いさせてしまって…
何言ってんのっコレがあたしの仕事でしょ
それにっあたしもこの時間帯の方が本業にさし支えがなくて助かるのっだから気にしちゃダメッ
は…はい…
あ…っ
ありがとうございますっ
なにより
悪い事※をコッソリ行うには朝より夜の方がコーフンするでしょ!!
※世間様の目をあざむいている
…

蓮ちゃんももうお部屋で待ってると思うけど
ドキッ
!!
なんか今日はすごく疲れてるみたいだったからぁ
ムダに笑わなかつたししゃべらなかつたし
まるで変身前からカインモード…
もしかしたら先に寝ちゃってるかも
…そう…
ほ
ですか――…
――さあ

出迎(でむか)えて
やろう

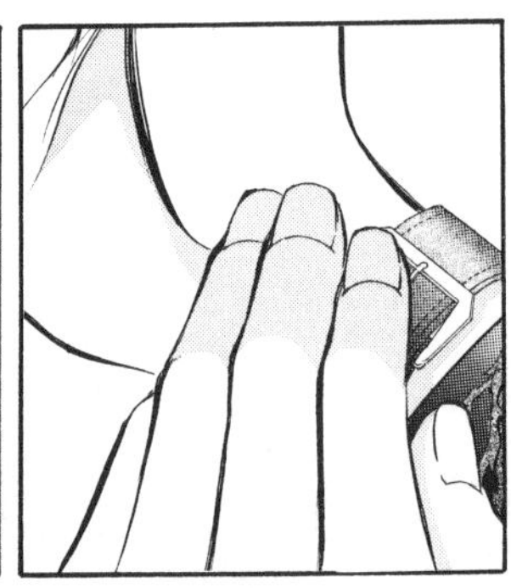

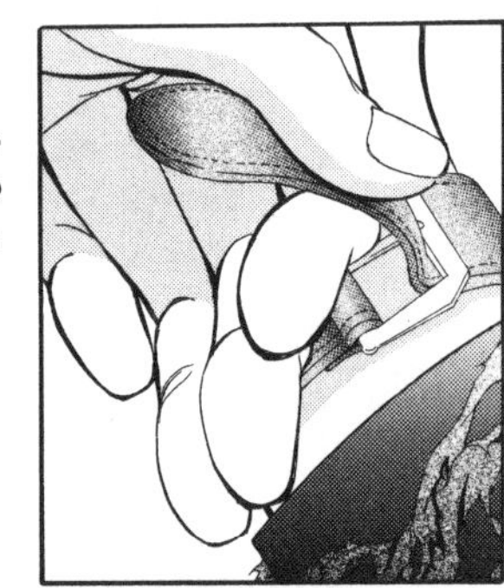

雪花(あのこ)の
愛(あい)する

ACT.192 黒の息吹／おわり

――『何で』?
そんなの決まってるじゃない
あの人は闇に灯る灯台
進むべき先を照らす目標
なくてはならない道しるべ
私にとっては

スキップ・ビート！

ACT.193 黒の息吹

敦賀さんの役者として の技術を盗むには あんたが言う様な
濁った邪な目で 見てる余裕なんか 私には無いの!!
――アンタ
私に言ったわよね
『何のために芸能業界に入ったんだ』って
何のために芸能業界に入ったんだ
アンタを跪かせるのが目的だったんじゃないのかって
その通りよっ
でも
今は
そればかりとは言えない 自分が居る
アンタより有名になって土下座させて上から踏みつけてやるのが何よりの夢だったっ
私を捨てた事後悔させてやるのが目的だったわっ
…お芝居をしてると
自分の事を好きになれるの
私

他人に誇れる自分に
なれてる気がするの
私は
もっと役者としてのレベルを上げたい
自分を高めたい
そのためには
敦賀さんの優しさだって利用する
これ以上ない栄養剤を自分から毒に変えるなんて
そんなバカな真似誰が進んでするもんですか!!
……

…負けたら
どうする
相手は芸能界一
なんたらかんたら
とか集団で寝言
言わせる男だぞ
お前ごときの
庶民の女が
あんなのに傾いて
平伏さねー
訳がない
あーあ所詮お前も
その辺の恋愛頭でっかちな
女共と変わらねーんだ
へっ
そのうち自分の人生の
勝ち負けを彼氏の
質で決め出すんだろ？
はーヤダヤダ最低だね
むっカー
バ…
バカにしないでよっ
自分の人生の勝ち
星くらい自分で
掴むわ!!
私は絶対に
負けない!!
必ず日本でトップ
クラスの役者になって
みせる!!
敦賀さんに
躓いたりしないいん
だから!!
……
言いや
がったな
えらそーに

できなかったらどう落とし前つける気だ
ああっ？
口で言うだけなら子供でもできるぞ
で…っできなかったら…っ
おとなしく尻尾を巻いて京都に帰ってあげるわ…っ
!!
ショッボッ
小っちぇー決意表明だな
はんっ
すぐ無かった事にできんじゃん
見届ける奴も居やしねーし
カッチーンッ
!!!
だったら………っ
一生
アンタ実家で仲居勤めしてあげるわよ―――!!!

一生
アンタ実家で仲居勤めしてあげるわよ────!!!
……
…思うツボ……
チャポ チャポ
…アイツ
本当に単純で操られやすいよな
俺の描いたシナリオ通りのセリフを返すんだから
あんだけはっきりと偉そうに自分から宣言すりゃ否応なく守んだろ
敦賀蓮絡み
あいつは そういう性格だからな
これでもし本当に うっかりと何かの間違いで
敦賀蓮に傾く様な事があったとしても

俺に損は無いって事だ
もっと役者としてのレベルを上げたい
自分を高めたい
私は
そのためには
敦賀さんの優しさだって利用する
キョーコの奴…あの野郎に上手く騙されてんじゃないのか
……
『優しさ』ねェ――…
最高の教科書とか
先導者とか
いや、騙されてるだろ。絶対に
単純で操られやすい上に思い込みも激しいとくりゃ
カモじゃねーか完璧に
芸能業界
キツネとタヌキみたいな奴しか居ないと思ってたが
違う
アレは――
――…成程…
ジャリ…

……それで……？
君が伝えに来てくれた訳だ…
俺を待ち伏せてまで
わざわざ

暇なのか
ムッ
！
…な訳…っ
君の戯言にも
暇つぶしにも
つき合ってやる
つもりはない
…悪いが

――失せろ
――アレは
鬼畜だ――
キツネやタヌキがやる可愛い化かし合いなんか通用しねェ
化かした相手の息の根止めて身も皮も切り売りして消しちまうタイプだ
…俺の場合はメガネ男の登場があったからあそこで終わったが…
もし
邪魔の入らない状況でうっかり奴をキレさせたら――
――そのためには
敦賀さんの優しさだって利用する

──何が『優しさ』だ
それすらも化けの皮だろう
敦賀蓮の本性は『さわやか』でもなけりゃ『紳士』でもねーぞ
あんなのを全開で信頼しきってるって
アホだろう
トン トン
トントン
コン
──あんな無防備に
敦賀蓮のまわりをウロウロしてたらキョーコの奴
そのうち
マジで敦賀蓮の餌食に…
カツッ
はっ
ガタッ

カラカラカラ
ポン
ポト

トッ
トスッ
ふ――――…
はっ
…いえいえ大丈夫…っ
何もこんなに緊迫しなくても…っ
ふっ
ふっ

たとえもし
ミューズの言う通り
敦賀さんが既に
寝ていてくれなくても
コクリッ
昨日の話を持ち出される事は決して無いからっ
ヒール兄妹を演ってる以上
敦賀さんはプライベートな話を絶対しない
たった二人しか居なくても――
この扉のむこうの小さな世界で

でも
正直な気持ちを言うと
本当は嫌なことを先に綺麗に片付けて
スッキリした気分で仕事がしたい…っ
だって生かさず殺さずのこの状況
これぞまさしく生殺し…ック
キリキリ
胃痛
次にプライベートで会った時
一体 どんな空気にさらされるのかと
考えただけで落ちつかないし畏縮する——
だけど…
それとこれとは分けなきゃいけない
その気持ちを持ち込んではいけない
セツに
——どんなに辛い事があっても仕事になれば
笑ってふざけて楽しそうにしなければならない時がある

それを
一瞬で気持ちを
切り替え　乗り
切るのがプロ
他人に死ぬまで
晒さないのが
一流だ
——そう
それが
今はまだ
未熟な私にも
できる事

『演技者』と名乗っても
恥じる事のないように
全力で
スル…
演れる事
スル――……

ガチャ
トス
トス
パタン
トス
トス
トス
トス
…
…ただいま
兄（にい）さん
そり

…………………………………
ぼんやり
…あああ………
そんな所で
そんな変な体勢で
寝るんなら
ちゃんとベッドで
眠ればいいのに
…もしかして
寝てたの？
バサ
ぽしぽし
どこで寝ようが
どうせ同じだ
…そうらしい
………

お前が帰って来ないんだから落ちついて眠れない

…可哀相な兄さん…
…全くだな…
アタシみたいな可愛い妹が居るせいで
クス…
ゆっくり寝てもいられないなんて

いっそ
俺だけ感じて生きていけばいい様に
この部屋につないで閉じ込めておくか…
素敵……
次のオフ
鎖
買いに行く…？
ピリリリリリリリ
ピリリリリリリリリ

ピリリリリリリ
…何の音……？
ピリリリリリリ
…！
…っ
もしかして携帯…!?
え…!?
どうして!?
私
最近ずっと携帯は常時マナーモードに……っ
ゴソゴソ
はっ
ぱか
受信メール1件
ああっ
ええ!?
ザワ
ザワ
ルルルルルル
どうして!?さっき楽屋でチェックした時何も入ってなかったのに!!
も…っもしかして敦賀さ…

受信ボックス
03/11 00:03
From 天宮さん
Sub メアド登録完了しまし
京子さん次仕事来る時もツ
着て来る？京子さんが着て
……
ポッポッポッ
ポッポッポッポッポッ
返信
ポチリ
送信
…
──…全然…っ
気付かなかった
……！
バイブ…!!
電話のバイブ
レベル最大に
しとこう!!
カカカカッ
そうだ!!
着信音も最大で
鳴らそう!!
カカカカカッ
…そうでなきゃ
今みたいなんじゃ
すぐに応答でき
ない……っ
せめて…っ
今夜 セツに
なってホテルへ
入るまで…っ
もしも
もしも
敦賀さん
から連絡
あった時
──…!!
ピリリリ
ピリリリ
ぬっ
ぬ
…オ…

OFFるの忘れてた……!!
ピ────
ぬ゛────
まさか…!!
ピ────
ぬ゛────
非通知
しかも…っこの無関心着信音…
携帯に馴染んだ今スタンダードでつまらないので着信音には使わない
!!!…
ブチッ
……っ
ショ…ッ
ショータロ───!!!
バタン
な…っ

01:30
何考えてるのよアイツ!!こんな時間に
いえ…っ違う!!
こんな時に……!!
ピ
ぬ
ピ
いや!!
電源…っ電源切ってキョーコ!!
ピ
あわあわ
ぬ

ピリリリリリリリ
ぬ゛〜〜っ
あわあわ
バカッ
ピリリリリリリリリリリ
ぬ゛〜
ぎゅっ
ピリリリリリリ
ぬ゛〜〜っ
非通知

非通知
ピリリリリリ
ぬ゛
プツ…
クリア
ス…
クリ…ッ
クリア

ピピ
ピピ
ピピ
クリア
フ…

ACT.193 黒の息吹／おわり

ガッ
ガッ
ゴッ
トッ

スキップ・ビート!
ACT.194 黒の息吹

──只今おかけになった番号は
電波の届かない場所にあるか電源が入っていないため
かかりません
只今おかけになった番号は
電波の届かない場所にあるか
電源が入っていないため
スタッ
かかりま
ガバッ
ゴバッ

〜〜〜〜〜〜〜〜〜〜〜〜〜〜〜!!!
ゴロ ゴロ
めーいっぱい
打ちつけた膝
角
ゴロ ゴロ
電源もオフしたし
ふうーやれやれ
これでゆっくり寝られるわ
パクム
こんな夜中に迷惑なのよっバカショーはっ
本当に非常識なんだからっ
いそ いそ
…そうだ
どう考えてもその線が濃厚だろう
キョーコの奴 どう判別してるんだか最近 俺の電話には全っ然出やがらねーし
サス サス

いきなり電源切った
からって何かあったん
じゃないかとか
思う方がどうか
してる
たとえ
どんなに
ブチ切れる程
頭に来てても
電源まで切った
事が今迄 無かったと
しても
まあっ
尚ったらっ
ダメじゃないっ
そんな所で
寝たりしちゃ
ちゃんとベッドへ
行きなさいっ
…
…寝てねー
ウソばっかりっ
そんな子供みたいな
言い訳聞きま
せんよっ
時々ミュージシャン
として自覚足り
ない事するんだからっ
ちゃんとあったかく
して寝るのよっ
…

ちら
——…こんな時間だし
もう少し早い時間や日中だったら
アイツが電源切ってる事に何か不審感を持ってもいいかもしれない
マネージャーの居ないアイツなら絶対 電源切ったりしない
病院だったり飛行機ん中だったりじゃない限り
いつ何時仕事に関する連絡が入るかわかんねーから
アイツは寝てる
ゴソ…
どうせ今頃 夢の中でカボチャ型した丸い馬車見て
キュウウウティフルウウウ!!!
やぁああぁんっっっ
とか武者震いしながら絶叫してるに違いない
口に出して
寝言
何度も同じ 夢見てんだろうに
アホらしい…
は−…寝よ寝よ

まあっ
あったかくして寝なさいとは言ったけど何もコートを着込む事はないでしょう!?
…
…ちょっと
散歩に行って来る
尚ったらっ
え？ 散歩っ？
あら どこまで何のために？
な…っ 何のためって
散歩とは 目的無くフラフラと徘徊する事を言うんだろ
そうですよ
散歩とは目的無くフラフラと徘徊する事を言うんです
目的無く
フラフラと徘徊する事を
言うんです。

……
…明日にする…
……
…
スゴスゴ
何かあったのかしら…
キョーコちゃんに
明日になってまでもしたい散歩なんだ…
…言えやしねーー…
ものぐさな尚が目的もなくただ散歩に行きたいなんて有り得ないと思ったけど
…尚がらしくもない奇行に走る時ってたいていキョーコちゃん絡みなのよね……
特に何かあったと確信させる事実がある訳じゃねーのに
アイツが本当にちゃんと布団の中でマヌケ顔してドリームonドリームしてるのかどうか
アイツの下宿先まで行って直に確認したいとか
非常識な彼はもちろん家人なんか叩き起こす気
こんな変態…いや心配症の親父みたいな事言える訳ねー

俺
警察
だいたい警察ですら何か起こらないと出動しねーのに
何故この俺様がこの不確かな状況下で自ら動いてやらにゃなんねーんだっつうの
そうだっ明日 仕事へ行くついでに奇襲かけてやるくらいが不自然じゃな
いや…っ
ちょっと待てっ
それ本当に不自然じゃないか!?
なんかスゲー会いたくてガマンならんかった色ボケ男みたいじゃないか!!
何故 仕事行く前の忙しない時間を縫ってまでアイツの顔を見に行ってやるんだっ
おかしいだろうっ
ふざけんな!!
それくらいなら電話して聞いてやるだけでいいじゃねー
いや待てよ
電話で聞くくらいなら今すぐだって出来んじゃねーの
ぶつぶつ
モヤモヤ
ぶつぶつ
モヤモヤ
う〜ん…
も〜…
…やっぱり…
これは何かあったわね……
テフ テフ
困るわねエ…キョーコちゃん…
…
ぶつぶつぶつぶつぶつぶ
モヤ モヤ
モヤ
モヤ
ぶつぶつぶつ

あなたには もっと身も心も鋼の様に堅め堅めになってもらわなきゃ
『ラブミー部員』ってそういう人にのみ与えてもらえる称号でしょう？。
それならその名に恥じない様 強靱な精神でラブミーライフを送って欲しいわ
とすん
…でなきゃいちいち尚が影響されるのよ…
あ…
恋も遊びも致しませんっていう…
『ラブミー部員』の活動内容に『公私共々敦賀蓮に関わらない』っていうの加えてくれないかしらっ
そうすれば完璧
翔子さんは『ラブミー部』を何か誤って解釈してる様子
←2度と痛い目を見ないため清く正しく美しくお堅い人生を送るために活動している部ではありません。
…ま…無理か…
同じ事務所だしね～
──可能性として
キョーコちゃんと敦賀蓮の間で何か

修復不可能な亀裂が入る程の問題が起これば
実現できなくはないんでしょうけど——
…相手があの敦賀蓮じゃねェ〜…
何もかもにもソツなくて人生負け知らずって感じだもの…
ポリ
絶望的
ね——…

——…どうした……？
何も
答えられないのか——…？

どうして
どれも
否定できないから？
ジリ…
それとも
さっきの電話は
不破じゃないのか

その
話を
ここで
するの？
この
部屋で？

ヒール兄妹を
演ってる
今……!?
不破以外の誰か
な訳ないよな……
非通知で君に連絡が入るのは
元々
俺か事務所か不破だけだったんだから

けど
今ではもう
俺も事務所も
ナンバー通知する
様になっている
だったら
トス
残るのは
不破だけだ
トス
…こんな
時間に
何の用で
ーーウソ

でしょ
芝居中に
そんな
半端な演技を
敦賀さんが
ゴッ
!!!
敦賀さんが
素に戻る
なんて
ポスンッ

グイッ

──……まだ……

連絡を
取り合ってるんじゃないのか
!?
だから
来られた訳か？
昨日も
学校へ行ってるはずの君が
不破と一緒に
テレビ局に
ずいぶんと
仲が良さそうに見えたよな
並んで座って

ギ…リ…ッ
…嫌い
嫌いと言いながら
ミキッ…
君は
不破とどうなりたいんだ

――この男
ダレ――…？
カイン・ヒール
敦賀さん
じゃ
ない
でも
ない…

私の
知らない
誰か
が
敦賀さん
の
身体
を
動かし
て

…笑(わら)って
た──？
ピク……ッ

……
…それも
答えないのか……?
しない否定は
肯定と同じだぞ

スゥ…
…っ
…今更…

聞けた
話か
そんな
事

ドサッ

ギューッ
…!

ACT.194 黒の息吹／おわり

《収録作品メモ》
●ACT.189　黒の息吹　平成24年　花とゆめ13号掲載
●ACT.190　黒の息吹　平成24年　花とゆめ15号掲載
●ACT.191　黒の息吹　平成24年　花とゆめ17号掲載
●ACT.192　黒の息吹　平成24年　花とゆめ19号掲載
●ACT.193　黒の息吹　平成24年　花とゆめ21号掲載
●ACT.194　黒の息吹　平成24年　花とゆめ23号掲載

花とゆめCOMICS
スキップ・ビート！㉜

2013年3月25日　第1刷発行

著　者　仲　村　佳　樹

発行人　酒　井　俊　朗
発行所　株式会社　白　泉　社
〒101-0063
東京都千代田区神田淡路町２－２－２
電話・編集　03(3526)8025
販売　03(3526)8010
制作　03(3526)8020
印刷所　共同印刷株式会社

ISBN978-4-592-19492-7
Printed in Japan　HAKUSENSHA

次巻予告
Coming Next

キョーコvs蓮
一対一の夜が始まる…!

我を
失っ
自分の
感情を
絶望感に
──ダメ
そんなあなたは認めない。